勇闯交换王国

3

毛妮妮　栾笑语　著

潘　婷　朱　悦　绘

知识产权出版社

全国百佳图书出版单位

这天晚上，大风吹得窗户"嘎吱嘎吱"响，一道闪电从天际划过，远远的天边传来"轰隆隆"的雷声。紧跟着雨点就"噼里啪啦"地打在窗户上，大雨来了。

妮妮正在听妈妈讲故事。妈妈亲亲妮妮，起身去关窗户，只听"扑棱"一声响，一道黑色的"闪电"冲进了窗户。

"那是什么？"妮妮跑过去一看，原来是一只小燕子。它穿着黑色燕尾服，躺在地上，无力地拍着翅膀。

妈妈说："外面风雨太大了，小燕子是到家里来避雨的。"

2

妮妮拿来软软的小垫子，妈妈拿来干净的温开水，将小燕子轻轻地放在了垫子上。妮妮一直照顾着小燕子，直到很晚，不知不觉睡着了。

"妮妮！妮妮！"

"咦？谁在叫我？"妮妮揉着眼睛坐起来。

"是我，是我！"

妮妮一看，原来是小燕子。

"你休息好了吗？可以飞了吗？"

"我没有力气了，必须吃到交换王国女王的雪莲花瓣，你能帮助我吗？"

妮妮点头说："我愿意帮助你！"

小燕子从翅膀上拔下三根最美丽的羽毛，交给妮妮。

"一根羽毛能带你去交换王国，一根羽毛能带你回家，还有一根羽毛可以跟女王交换雪莲花瓣。"小燕子说："别忘了交换王国最重要的咒语，交换的时候要先说'交换，交换'。"

妮妮说："我记住了，你要等我回来哦！"

妮妮拿起小书包，把两根漂亮的羽毛放进去，对着剩下的一根羽毛说："我要去交换王国！"

妮妮的话音刚落，就见一根羽毛变成了两根，两根又变了四根。很快，一张好大的羽毛毯子出现在了妮妮面前。

"哇！好神奇啊！"妮妮高兴地爬上去，羽毛毯子就带着她飞出了窗户，飞上了天空。毯子越飞越高，往下看，楼房变成了小火柴盒，汽车变成了小甲虫。

没过多久，羽毛毯子降落在了一片空地上，消失了。妮妮站在那里，左看右看。

"哪里来了个小姑娘啊？"一位老奶奶走过来说。

"请问，这里是交换王国吗？"妮妮问。

"是的。"老奶奶回答说。

妮妮说："太好啦！请问女王在哪里？我有重要的事情要找她。"

老奶奶指着远外的山峰说："女王就住在那座山的山顶上。"

山峰看起来又高又远，但是答应别人的事情就要做到。想到没有力气的小燕子，妮妮就告别了老奶奶，决定爬上那座高山。

7

　　妮妮走了很远很远的路，终于爬到了山顶，只见一座宏伟的宫殿前站着一位美丽的女王。

　　妮妮气喘吁吁地跑过去，拿出一根羽毛说："交换，交换！尊敬的女王，我能用一根美丽的羽毛，交换您的雪莲花瓣吗？小燕子需要它！"

　　可是女王摇摇头说："我不想要羽毛。山下的老铁匠有一条闪闪发光的项链，你可以用它来交换雪莲花瓣。"

　　项链？妮妮想了想，点点头说："好！请您等着我！"

　　妮妮下了山，远远地就看到了铁匠铺。她走进去，只见老铁匠正坐在那里愁眉苦脸，旁边的桌子上放着那条闪闪发光的项链。

　　"交换，交换！亲爱的老铁匠，我能用一根美丽的羽毛交换您那闪闪发光的项链吗？"妮妮问。

　　"唉！"老铁匠叹了口气，"我不想要美丽的羽毛，我的炉火熄灭了，什么都做不了。如果你有烧红的炭火，我可以把项链换给你。"

　　妮妮发愁了，去哪里找烧红的炭火呢？

哪里有烧红的炭火？妮妮走进集市，人们在那里摆出了各自拥有的东西，大声地吆喝着：

"交换，交换！一筐苹果换一筐芹菜！"

"交换，交换！一筐芹菜换一袋大米！"

"交换，交换！一袋大米，交换一把锤子！"

妮妮也跟着吆喝："交换，交换！我有一根美丽的羽毛，想换烧红的炭火！"

可是，谁也没有换到自己想要的东西。这可怎么办？

妮妮累了，垂头丧气地走出集市，交换不到想要的东西，真让人着急！

她忽然听到一阵哭声，发现是一个小男孩在一个大炉子前面哭泣。

"你怎么了？"妮妮问。

小男孩哭着说："我的红薯被小老鼠偷走了，不能为妈妈烤红薯吃了。"

妮妮这才发现，旁边的大炉子热热的，里面是满满一炉烧红的炭火。

"交换，交换！我用一根美丽的羽毛，交换你烧红的炭火！"妮妮大声说。

"可是……"小男孩想了想说，"如果你有红薯，我愿意交换。"

妮妮叹了口气，这次又要去寻找红薯了。

"嗨，小姑娘，我们又见面了！"

妮妮一看，原来是刚才见过的老奶奶。

"老奶奶好！"妮妮很有礼貌地说，"您知道哪里能交换到红薯吗？"

"我的篮子里就有红薯。"老奶奶说，"我一直想要一根美丽的羽毛，装饰在小孙子的帽子上。可我走了很多地方，都交换不到。"

妮妮一听跳起来说："交换，交换！我有美丽的羽毛！"

老奶奶也高兴地说："我真是太幸运了！"

就这样，老奶奶用红薯换走了妮妮的羽毛，给小孙子做了顶漂亮的帽子。

小男孩换走了妮妮的红薯，妮妮得到了烧红的炭火。

妮妮用炭火点燃了老铁匠的炉子，换到了闪闪发光的项链。

妮妮又爬上山，把项链交给了女王。女王捧出洁白的雪莲花，轻轻摘了一片花瓣放在妮妮的手里。

　　哎呀！妮妮真是累坏了！交换，交换，好麻烦啊！妮妮从书包里拿出小手绢擦擦汗，一张妈妈做的玩具钱掉了出来。妮妮看到钱，想起爸爸、妈妈用钱到超市买东西，眼睛一亮，有了主意！

集市上，大家还在费力地交换。妮妮跑进集市，举着玩具钱大声说："交换，交换！太麻烦啦！大家用钱最方便！所有的东西都能换成钱，钱也能换到所有的东西！"

老铁匠来了，小男孩来了，老奶奶来了……大家围在妮妮身边，你看看我，我看看你，都觉得这个办法好。

女王也来了，笑着点头说："妮妮带来了帮助交换的好办法，交换王国会有更多的东西可以交换了！"

帮助小燕子的任务完成了，妮妮冲大家挥手告别。一根美丽的羽毛变成了毯子托起妮妮，飞回了家。妮妮拿出雪莲花瓣，小燕子吃完后，忽然有了力气，扇扇翅膀，飞起来了。

"谢谢你！妮妮，你是我的好朋友。"小燕子说。

妮妮也很高兴，"帮助别人最快乐！而且，我帮助了很多人。"

天亮了，妮妮睡醒了，她揉揉眼睛，看到躺在垫子上的小燕子不见了。

妈妈亲亲妮妮的小脸蛋说："小燕子休息好了，飞走了。"

妮妮依偎在妈妈怀里，心想："吃了雪莲花瓣，小燕子就有力气飞回家了。这是我和小燕子之间的秘密呢！"

勇闯交换王国

通过前两册书，孩子们对"钱"有了一定的了解，知道了商品可以通过钱去交换，也了解了钱是爸爸、妈妈辛苦工作得到的回报。那么孩子可能会问："钱其实就是一张纸，为什么这样的纸就能换到东西呢？"爸爸、妈妈这个时候可以揭开"钱"的身世之谜，告诉孩子为什么这种叫做"钱"的纸如此神奇了。

我们要准备什么呢？
道具卡片；
（见本册书附带道具卡片）
货币若干

1 参加人：爸爸、妈妈、孩子、家里长辈或者同学。

人物	妮妮	老奶奶	小男孩	老铁匠	女王
手里物品	羽毛×12	红薯×6	炭火×4	项链×2	雪莲花×1
价格	10	20	30	60	100
需要的物品	雪莲花	羽毛	红薯	炭火	项链

每个人都有一种属于自己的物品，自己需要的物品在其他人那里，大家进行交易。

2 第一次大家以物换物，要求换到自己需要的商品，最快的一个人获胜。游戏开始时开始计时，游戏结束时查看时间。

3 第二次可以为商品标价，然后用货币作为媒介进行交换。游戏开始时开始计时，游戏结束时查看时间。

4 比较一下两者的时间，引发思考，即货币出现后，是否提高了交易的效率。

毛妮妮

"财智少年"青少年儿童财商教育项目创始人，金融教育从业十余载，是中国最早从事青少年儿童金融启蒙教育、财经素养培养的实践者之一；曾任瑞银金融大学（UBS Business University）中国区总监，全面负责瑞银集团中国区"第二代培养计划 —— Young Generation（睿隽计划）"的策划、设计与实施，亲历中国超高净值人群财富传承，对于中产阶层人群的财富积累、财富观养成、财富意识打造具有独到见解；近年来，一直致力于传播正确的财富观、培养青少年经济社会的独立生存能力和理性选择能力，帮助其提升幸福感。

栾笑语

吉林大学文学硕士，资深媒体人。
长期关注宏观经济和微观经济、青少年财商教育，对儿童心理学也有研究。
现供职于《经济日报》，为主任记者。

财智少年订阅号

财智少年服务号

扫一扫听绘本

⚠️ 警告WARNING:
内含游戏道具，不适合3岁及以下儿童玩耍，请在成人指导下使用。

一起来交换吧！

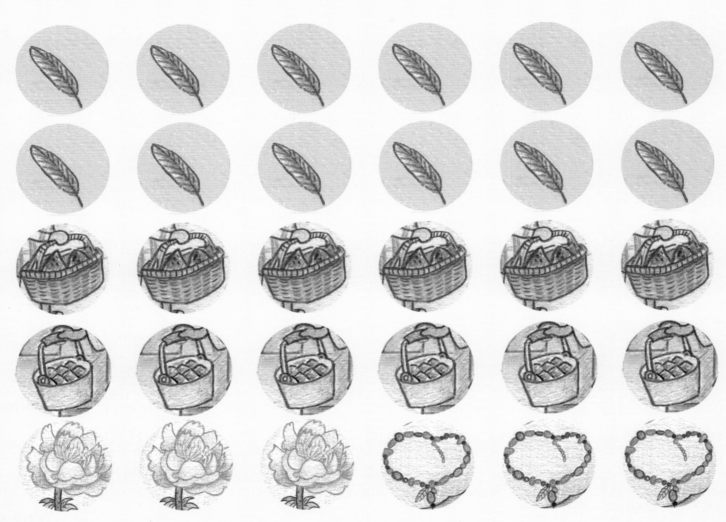